멍숭이의 일상일기

-멍숭이의 일상 힐링 에세이-

멍숭이의 일상일기 -멍숭이의 일상 힐링 에세이-

발행 _ 2024년 1월 2일

지은이 _ 노란추억

디자인 _ **enbergen3@gmail.com**

펴낸이 _ 한건희

펴낸곳 _ 부크크

출판등록 _ 2014.07.15.(제2014-16호)

주소 _ 서울특별시 금천구 가산디지털1로 119 SK트윈타워 A동 305호

전화 _ 1670-8316

이메일 _ **info@bookk.co.kr**

홈페이지 _ **www.bookk.co.kr**

ISBN _ 979-11-410-6341-2

값은 표지에 있습니다.

멍숭이의 일상일기

-멍숭이의 일상 힐링 에세이-

CONTENT

목차

INTRO

나에게는 행복한 권리도, 삶을 돌아볼 이유도 있습니다.

사랑과 진로에 고민이 많았던 사람들에게,
아프고 상처받았던 기억을 치유하고싶은 사람들에게,
다양한 고민의 끝에 서서 생각을 정리하고 싶은 사람들에게,
이 책을 바칩니다.

유쾌한 '멍숭이'와 함께 그때 그 시절의 나로 돌아가,
생각을 정리하고 나를 돌아보는 시간이 되기를 바랍니다.

책을 읽어가며 나의 추억을 기록해보세요.

또한, 그들의 마음을 공감하고 싶은 사람들에게
이 책이 도움이 되기를 바랍니다.

노란추억

제1화
사랑

이 시들은 연애의 여정을 따라가며 발생하는 다양한 감정과 순간들을 담았습니다. 연애의 공감 포인트를 재미있게 풀며, 연애에 대한 특별한 순간들이 떠오를 것입니다.

“우연”

그냥 거리를 걷다가, 너와 마주쳤어.

마주친 그 순간도,
서로에게 공통점이 있는 것도,
우연이라고 생각하고 넘겼지만,

마음 한구석이 두근거리기 시작했어.

-기억나는 우연같은 일이 있나요?-

"자기소개"

난 나를 너에게, 넌 너를 나에게 소개했어.

기억나?

너는 유난히 말도, 웃음도 많았어.

원래 네가 그런 애인 줄 알았는데,
그건 또 아니더라고.

-누군가에게 나를 소개했을 때 반응은?-

“호기심”

너에 대해 궁금해졌어.

네가 좋아하는 것, 싫어하는 것,
전자에 내가 들어가 있어? 라고 묻고 싶지만,
속으로만 궁금해할게.

그거 말고도 모든 게 궁금해지더라고.
이런 내 모습이 신기해지더라고.

-어떤 사람에게 호기심이 생기나요?-

“반응 살피기”

너에게 말을 걸 때마다,
네 눈빛, 네 미소를 하나하나가 신경 쓰였어.

이런 내 모습, 들키지 않으려고
이상한 소리만 늘어놓고
장난치기 바빴었어.

집에 와서는 너와의 일상을 곰곰이 되짚어보며
잠이 들었어.

-나는 눈치를 어떨 때 보게 되나요?-

“염탐하기”

너의 프로필 사진을 넘겨봤어.
너의 SNS를 찾아도 봤어.
오늘은 네가 뭐할까 문득 궁금해지기도 했어.
너도 나를 궁금해할까?
오늘은 네 생각이 내 마음을 가득 채우는 하루야.

-염탐해 본 적이 있다면 그 이유는?-

“중독”

나의 하루, 나의 생각,
점점 너로 가득 차올라.
생각만 했을 뿐인데,
입꼬리가 올라가는 내 모습이 이상해.
너 없는 시간은 더 이상 재미도 없어.
너에게 중독된 건가?

-무엇에 중독되어 봤나요?
해결하려고 어떤 노력을 했나요?-

“망상”

우리 함께 있는 모습을 상상해봤어.
손잡고, 웃으며 걷는 그림,
그 모든 상상이 현실이 되길 바라며.

-일어나지 않은 일로 심히 걱정됐거나, 기대에 못미쳐 실망한 적이 있나요?-

“현타”

가끔은 현실로 돌아와,
이런 내 마음을 알 길이 없는 너를 마주해

너와의 사랑이 꿈만 같은데
현실은 찌질하기 그지없는 것 같아.

-최근 현타가 온 적이 있다면 그 이유는?-

“인정”

이 마음이 무엇인지 돌아봤어.
그리고 결론을 내렸지.

그래. 나 너 좋아해.
나 너 좋아한다구.

-아니라고 부인했지만 인정하게 되었던 사건과 이유는?-

“플러팅1”

가볍게 농담도 주고받고,
별 거 아닌 걸로 말걸고,
거울 한 번 더 보고 네 곁을 서성이지
너에게 살짝 쿵 관심을 표현하지 나.

나의 그 작은 용기 하나하나가
사랑으로 발전하기를 바라는 하루.

-짝사랑했을 때 네 마음을 어떻게 해소했어?-

“플러팅2”

넌 또 내 맘을 흔들잖아
난 또 모른 척 너의 마음을 훔치지

나에게로 한 발 짝 더 다가와 봐
애매하게 알 듯 말 듯 하지 말고
내게 빠질 준비하고 들어와 봐
시작하면 출구는 없어

-관심있는 상대에게 하는 행동은?-

“드디어 1일”

마침내 맘속에만 반복했던 그 말을,
용기를 내서 내뱉었어.

‘나 너 좋아해’하고 말이야.

너도 같은 마음이라고 답한 그 시간은,
세상 가장 행복한 순간이었어.

-고백을 결심한 이유와
그때의 심정은 어떠했어?-

“첫 데이트”

우리의 첫 데이트,

서로 조금 어색하고 긴장되었지.
이런 감정을 느껴본 게 얼마 만인지.

달콤한 솜사탕을 먹는 기분이랄까.

-첫 데이트 장소와 기억나는 장면이 있다면?-

“질투”

네가 다른 사람과 같이있는 걸 봤어.
마음 한구석에 질투가 생겼어.
괜히 신경 쓰여.
너는 나만 바라봐 줬으면 해.

-질투날 때 하는 행동은? 최근엔 언제 그랬어?-

"타이밍"

너는 내 기분을 풀어주려 다가왔지만
서운한 티를 냈고,
조금 풀릴 만해서 다가가니
넌 이미 다른 시선으로 나를 바라봤어.

때론 말이야,
네가 괜찮을 때, 나는 울고,
내가 괜찮을 땐, 네가 힘들어했지
그 미묘한 타이밍이 우리를 힘들게 해.

-타이밍을 놓쳐서 후회한 적이 있어?-

“권태기”

시간이 흘러, 서로에게 익숙해졌어.
그 뜨거웠던 열정이 식어가고 있어,

뜸한 네 연락에도 덤덤하고
작은 네 실수에도 불만이 생기는 요즘.

우리 괜찮은 걸까?

-권태기를 겪은 적이 있어? 원인은 뭐라 생각해?-

“싸움”

작은 오해에서 시작된 싸움,
서로의 마음이 다쳐가.

도저히 이해가 안 되는 너야.
이게 정말 우리가 원하는 걸까?

-나만의 싸움 방식이 있다면?-

“이별”

결국 우리는 헤어졌어.
마음이 아프고, 눈물이 나지만,
이별이 최선이라고 생각했어.

서로를 위해, 더 나은 미래를 위해,
눈물 속에서 작별을 고했어.

이렇게 말 한마디로 그동안의 시간이 종료될 수 있는 거구나.
허무함과 화남도, 아픔도 공존하는 하루야.

-나의 첫 이별스토리와 극복방법은? 사람이 아니어도 괜찮아 -

“이별 후유증”

주변 사람들이
어디 아프냐는데
왜 그러냐는데
나도 몰라

그냥 눈물만 나는 줄 알았는데
생각보다 힘든가봐
이렇게 힘들 줄 알았다면
그 순간으로 돌아가 다른 행동을 할 텐데

되돌리긴 늦었대
엎질러진 물이래
아니
그런게 어딨어?
웃기다 싶다가
아련한 척 이별 노래를 들으며 밤거리를 걸어

내 시간 돌려 내
내 청춘 같은 시간

-이별로 힘들었을 당시, 나의 모습은-

“비연애자 선포”

사랑이란 건 결국 감정소모라고 생각해.

‘더 이상 연애하고 싶지 않아.’
하고 마음을 닫아버렸어.

내 마음의 평화를 위해, 혼자만의 시간을 갖기로 해.

-'연애'란 뭐라고 생각해?-

“근데 외로움”

하지만 가끔은 너무 외로워.
모든 게 괜찮다고 생각했는데,

따뜻함으로 채웠던

주말이,
크리스마스가,
연휴가

그리워져.

-외로울 때 나만의 해소 방법이 있다면 추천해줘-

“ 안부”

잘 지내? 잘 자구?
밥은 잘 먹구 있지?
너랑 있던 시간들이 생각나.
하지만 연락은 못 하겠어
우린 여기까지가 맞으니까.

-오래전 알던 사람에게 안부를 물은 적이 있나요?-

“성숙”

시간이 지나면서, 마음이 점점 무뎌져 가.
이별의 아픔도, 사랑의 그리움도,

다시는 사랑에 흔들리고 싶지 않아.

그럼에도 불구하고,

나의 그릇을 넓혀준,
나의 세상을 키워준

너에게 고맙기도 해

-연애를 통해 얻은 게 있다면?-

"문득"

네 프로필 사진이 바뀐 걸 봤어

연애하나 봐
잘 살구 있구나
다행이야

그때의 난 조금 미성숙했지
한편으로 씁쓸해지는 하루

-옛 애인이 애인이 생긴 걸 봤다면 어떤 생각이 들 것 같아?-

“비워냄”

조금이나마 있던
너에 대한 마음을
다 비워냈어

과거에 더 이상 얽매이지 않게
새로운 것으로 채워질 수 있게

-누군가를 잊으려 노력한 적이 있나요?-

“다시 또 사랑”

그러다 또 다른 누군가가 다가와.

같은 실수를 반복할까 두렵기도 하지만,
‘이번엔 다를까?’하고 마음 한편이 궁금해져.

조심스레 마음을 열어봐도 괜찮겠지?

새로운 시작을 맞이할 준비를 할 거야.

-너에게 있어 진정한 사랑의 의미는 뭘까?-

제2화
회사

취업 축하해!
고마워! 그런데…… 나… 왜 이러지? 퇴사하고싶어!

멍숭이는 소곤소곤 이야기했다.

장난기 많지만 소심한 아이의 목소리로 순수하고 재미있는 시각에서 취업 준비와 직장 생활의 다양한 순간들을 표현했습니다.

이 쳅터에서는 취업 준비와 직장 생활 속에서 겪는 다양한 감정과 경험들이 담겨있습니다. 이러한 감정들이 독자들에게 공감과 위로를 줄 수 있기를 바랍니다.

“취업 준비”

밤마다 불 켠 노트북 화면의
작은 글씨들을 보며 꿈과 미래를 그렸어.

한줄 한줄 한 기업 자기소개서를 쓰는데
거의 하루가 다 갔어.

인사담당자가 나의 이러한 진심을 알아주길,
나의 쌓인 하루하루가 이 회사에 적합한 존재이길,

부모님의 기대와 외로움 사이,
그 위의 희망과 두려움이 서로를 번갈아 바라봐.

-나의 취업 준비 당시 모습은?-

“취업 성공”

오랜 기다림 끝에,
드디어 펼쳐진 새로운 시작,

메일함에서 발견한 ‘합격’이라는 단어에 마음이 뛰어,
첫 출근길, 설렘과 긴장이 교차하는 그 길 위에서,
이제 꽃길만 걷겠구나 하는 희망과 함께해.

-취업 성공했던 경험과 비결은?-

“회사생활”

회사라는 곳은 말이야, 정글 같아.
치열하게 일하고,

또 치열하게 싸우기도 해.

사자처럼 으르렁대는 상사도 있고,
나처럼 조용한 원숭이도 있지.

나는 나만의 방법으로 살아남는 중이야!

-처음 회사(조직)생활했을 때 내 모습은?-

“소외감”

회사 안에서,
난 그냥 조용히 모니터만 보고 있어.

나만 혼자인 듯,
여러 오가는 말들 사이에서 느껴지는 소외감.

마음 한켠에 자리 잡은 외로움,
나도 여기 속한 걸까?

-소외감을 느낀 경험이 있나요?-

“실수”

분명 배웠던 건데
작은 실수를 해버렸어

나름의 이유가 있지만
그래도 실수를 했다는 것에
기분이 울적해져

-회사에서 했던 최악의 실수는?-

“혼남”

어느 날, 상사가 나한테 크게 소리쳤어.
‘너 왜 이래!’하고 말이야.

상사의 날카로운 말 한마디에,
숨이 턱 막히는 듯한 순간.
내가 잘못한 걸까? 자책했어.

속으로 ‘으악!’ 소리치며,
무거워진 마음을 유지하고 있어.

-타인에게 혼난 이유, 당시의 나의 반응은?-

“집중”

집중이 잘 되는 하루야
일도 평소보다 빨리 끝냈어.
오늘따라 너무 뿌듯한걸
평소에도 이렇게 집중이 잘되면 얼마나 좋을까.

-나의 집중력은 좋은편?
좋아지기위해 노력한 것은?-

“칭찬받은 날”

상사가 ‘잘했어’하고 칭찬했어.
때때로 찾아오는 이런 칭찬에,
희미한 미소가 입가에 번져.

그 작은 칭찬에 힘을 얻어,
나는 다시 일어설 수 있다고!

조금씩 용기가 나.
나도 노력하면 할 수 있다고!

-어떤 칭찬을 젤 좋아해?
많이 들어본 칭찬은?-

“월급과 뱃살”

내 뱃살은 자꾸만 늘어나는데,
매달 월급은 그대로야.

‘아이고, 나 이제 어떡해!’하고 거울 앞에서 소리쳤어.
주름도 생기고, 나갈 돈은 많아지는데,

‘나 이대로 괜찮은 걸까?’

-내 희망 월급과 몸무게는?-

“번아웃”

열정의 불꽃도 서서히 꺼져가고,
번아웃의 그늘 속에서,
멍 때리며 앉아있어.

열심히 달리다 보니, 갑자기 지쳐버린 것 같아.
‘더 이상 못해!’하고 침대에 누워버렸지.

밖에 나가고 싶지만, 나가기가 귀찮아.
너무 피곤했나 봐.

그래서 그냥 조용히 멍때리며 쉬고 있어.

-번아웃이 온 적이 있나요?-

“우울증과 자책”

남들은 다 잘하는데, 왜 나만 이러지?
우울의 늪에 빠져 자책하며,
힘겨운 밤을 보내는 나,
이 모든 게 나의 잘못인가 싶어.

남들은 다 잘 사는 것 같아서, 난 더 작아지는 기분이야.

‘왜 나만 이럴까?’하고 혼자서 울기도 해.
하지만, 아직 포기하고 싶지 않아.

-최근 우울했던 일이 있어?
어떻게 극복했어?-

“연차”

어디론가 떠나고 싶은 날
나를 위한 시간을 보내고 싶은 날

살짝 눈치가 보였지만

연차를 쓰고
평화로운 내 방에서
휴식을 취하는 중이야

-휴가를 간다면 어디로 가고 싶어?-

“퇴사하고 싶다”

사실 그렇다?
정답이 흐릿해져 가는 요즘,
내가 원하는 삶은
풍족하게 살거나,
가치 있게 살거나.

근데 이 월급으로 집은커녕.

열심히 살아온 내 삶이
때때론 부정당하는 기분이 들어

인생 뭐 있어?!

-나만의 인생 기준이 있다면?-

“퇴사 망상”

아, 퇴사마렵다
다음 달 퇴사해야지

-월급 전날-
아 퇴사하려했는데,
잔고를 보니 좀 더 다녀야겠군

-다음달-
아 이건 내가 원하는 삶이 아니라구!

-다다음달-
(체념)
인터넷으로 퇴사영상 찾아보고
대리만족하다 출근함

-실행으로 옮기기 직전에서 그쳤던 일과 이유는?-

“퇴사”

마침내 결심한 퇴사,
두려움과 안도가 교차하는 순간.

이제는 나를 위해하고 다짐하며,
새로운 길을 향해 발걸음을 내디뎌.
마침내 ‘퇴사할게요!’라고 말했어.
그 말을 꺼내고 나니까, 마음이 가벼워졌어.

‘이제 뭐할까?’하고,
새로운 꿈을 찾아 나설 생각에 설레어.

-퇴사하고 싶은 순간은 언제야? 그럼에도 버텼던 이유는?-

“새출발”

오랜 시간 동안의 동료들과의 작별,
새로운 꿈을 향한 결단,
사직서를 제출하고, 뒤돌아본 수많은 추억들,

그 시간 속에서 많이 성장하고, 능력치도 향상되었지.
잘 버텼고, 잘 해왔어!
다음은 또 어떤 모험이 기다리고 있을까?

-전 회사(조직)에서 얻었던 것이 있다면?-

“재충전”

퇴사 후 찾아온 고요한 시간,
자신과 마주하는 재충전의 순간.
다시 시작할 거야하고 마음 다잡으며,
희망을 품고 새로운 꿈을 그려보네.

집에서 쉬면서 나를 돌아봤어.
‘나는 뭐를 할 때 좋아하고, 뭐를 젤 잘할까?’하고 생각해봤지.

사색 속에서 새로운 꿈을 찾기 시작했어.
‘늦지 않았어! 나도 할 수 있어!’하고 다시 힘을 내기로 했어.

-재충전이 필요할 때 하는 것이 있다면?-

“고군분투”

새로운 시작을 위한 고군분투,
때론 넘어지고, 때론 일어서며.
이제는 내 길을 걸을 거야.하고 다짐하며,
끝없는 도전 속에서 내일을 향해 나아가.

-용기 있게 새롭게 도전했던 것은?-

제3화 우울

우리는 때때로 다양한 상황과 환경에서 우울함을 겪곤 합니다. 그러한 상황들을 돌아보고 정리하는 시간이 되기를 바랍니다.

“우울증”

나… 우울증이래.
병원도 다니고 있어.
놀랍지 않니?

근데 네 대답은,

그래?
나도 겪었어.
치료하면 돼.
내 손을 잡아!

혹시나 날 좋지 않게 볼까 봐 걱정했는데…

아니? 오히려 고마운데.
너의 힘듦을 털어놔줘서 고마워.

-어떨 때 우울감을 느끼나요?-

"마법의 주문, '난 괜찮아'"

주문을 외웠어,
'난 괜찮아, 정말로!'

그랬더니, 갑자기 모든 게 좋아지진 않았지만,
최소한 늘 먹던 커피가 맛있어졌어.

마법은 소소한 데에서 시작되는 거야,
커피 한 잔처럼 말이지.

-마법을 부려 상황을 개선하고 싶은 일은?-

"잊혀진 꿈"

어릴 때부터 살아온 내 희미해져버린 꿈은
아직 내 안에 살아 있어.

너무 멀리 떠나온 것 같아도,
꿈은 여전히 내 안에서 움직이며
이제야 빛나려 해.

다시 일어서서,
잊혀진 꿈을 찾아,
새로운 길을 걸어봐,

너의 내일은 아직 쓰여지지 않았어,
끝이 아닌 새로운 시작이야.

-내가 진짜 이루고 싶은 꿈은?-

“이 별”

같은 암흑 속을 반복했던 나
이 별도 나처럼 헤매고 있어
마음이 너무 아파
나 또 무너질까봐,

지친 이 밤에
자꾸만 날 누르고 있지
이제는 그만하고 새 별을 향해 움직여 볼 거야.

-나의 방황했던 이유와 시기는?-

“내일의 태양”

그거 알아?
어둠 속에서도 태양은 떠올라.
그 어떤 밤도 영원하지 않지,
그 속도가 다를 뿐.

너의 새벽이 오면,
너에게도 따스한 태양이 비춰 줄 거야.

-내가 올해 바라는 소원이 있다면?-

“나의 가치”

너는 너 자신으로 충분히 소중해,

남들과 비교하지 마
나의 길을 걸어가도 돼
모두에게 맞추려 하지 않아도 돼.

너의 색깔을 잃지 마
너만의 가치와 빛을 잊지 마.

-나만의 가치와 색깔은 무엇인가요?-

“삶의 방향과 용기”

천천히 생각해봐
네가 진짜 원하는 게 무엇인지
그 이유는 무엇인지.

그런 다음,

두려워도
한 걸음씩 천천히 나아가.
새로운 시작이 너를 기다리고 있어.

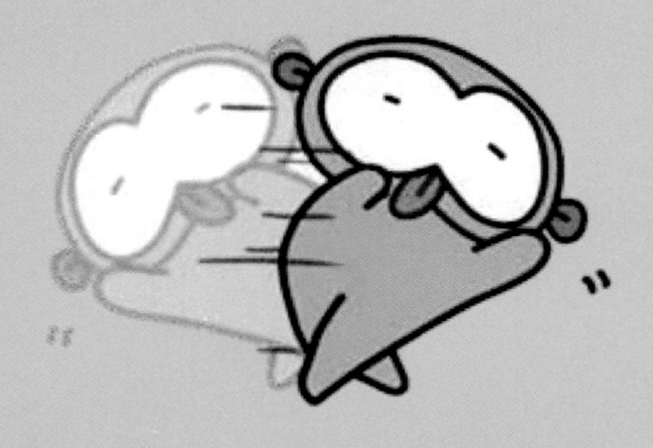

-내가 지금 진정으로 원하는 것은?-

“큰일”

큰일 났어! 어떡해!

그렇구나.
근데 그걸로 흔들려?
큰일 못하겠구나.
그걸로 방법을 찾아야지

-올해 내게 일어난 큰 사건 세가지는?-

"혼자 앓지 마"

혼자 끙끙 앓지 마.
많은 생각을 내려놓고
누군가에게 너의 이야기를 내뱉는 것만으로도,
네가 생각하는 그 이상으로
마음이 편해질 수 있고,
해결책을 찾을 수도 있고,
너의 생각이 바뀔 수도 있어

혼자 문제를 해결하는 것보다,
때로는 누군가의 도움을 통해
지름길로 갈 수 있다구.

-최근 겪은 고민 3가지는?-

"응원"

밤하늘의 별빛들도,
사랑하는 가족들도,
친구들과 지인들도
그리고 나도
너를 아끼며 잘되기를 응원해,
그러니 자신감 잃지 말고
힘차게 나아가봐.
아자아자!

-최근 들은 응원 또는 듣고 싶은말은?-

“꽃샘추위”

지독한 꽃샘추위는
언젠가 끝이 나겠지
힘들어도 힘든 지 몰라
이젠 내게 익숙해졌어

생각이 너무 많다가
머리가 복잡해졌어
낙엽처럼 떨어졌지만
막연하게 오를 생각해
돌이켜 보면

이 순간을 통해
나의 진정한 삶이 완성되는 중인걸
난 한 층 더 단단해졌어.

-내 인생의 가장 추웠던 시기는?-

"인생의 0순위 = 나"

남들의 시선
중요하지 않아
인생의 0순위 그것이 바로 나지

내가 온 길이 정답인 걸
힘들어 과거를 그저
잊는 게 정답은 아냐

상처를 치유하는 것이 가장 중요한 일 인 것을
고통이 한층 더 나를
견고해지게한 선물
이 특별한 하나하나가
지금의 날 만들어 준 것
이런 것들이 없었다면
명언들은 내게 한낱 이론일 뿐이었겠지

-나의 인생의 1~3순위는?-

제4화
힐링

"당신은 어떻게 힐링을 하시나요?"

하루의 끝에서 힐링을 하는 일상을 담았습니다.
바쁜 일상 속, 한 템포 쉬어가는 시간이 되기를 바랍니다.

“술”

술에 취한다
취하고 싶다
솔직해지고 싶다
술이란 핑계로

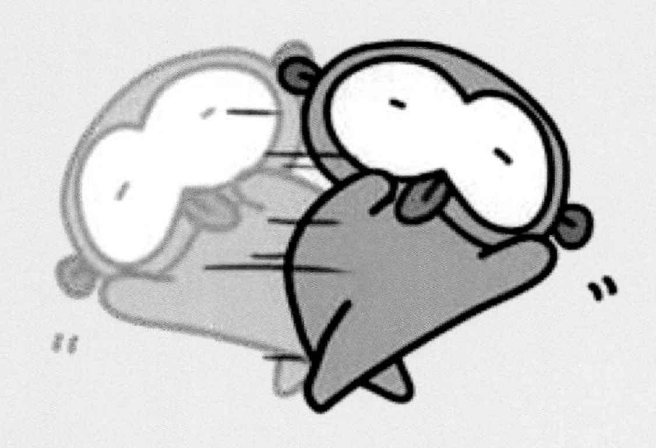

-술vs커피vs차vs주스? 이유는?-

“친구”

그땐 몰랐지
친구들이 해주는 말이
이제야 보일 수 있다는 걸

-누군가의 조언이 나중에서야
맞는 말이라 생각한 적이 있나요?-

“잠”

잠자면 잘수록 계속 졸려
오늘은 침대와 함께 할래

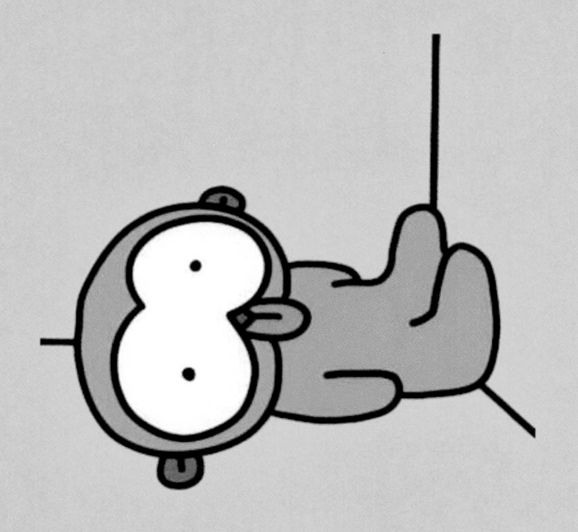

-하루에 몇 시간 주무시나요?-

“귀차니즘”

가끔은 이유 없이
늘상 하던 일이 귀찮아
잠깐 쉬자
아니 빨리 해버리고 쉬자
사이에서 고민하다가
될대로 되라
가끔은 이런 모습도 있어야
인간미가 있는 것이지
라고 생각하며

-어떨 때 귀찮음을 많이 느껴?-

“공허함”

나 열심히 사는데
가끔 공허해
자, 이제 뭐해볼까

-공허할 때 하는 생각과 행동은?-

“시간아 멈춰라”

오늘도 벌써 왜 끝나가는데
아직 나 잠에 들고 싶지 않아

-시간이 멈췄으면 했던 순간은?-

"게임"

나의 인생게임에
정답은
없어

나의 선택에
책임질 수 있다면
그걸로 돼

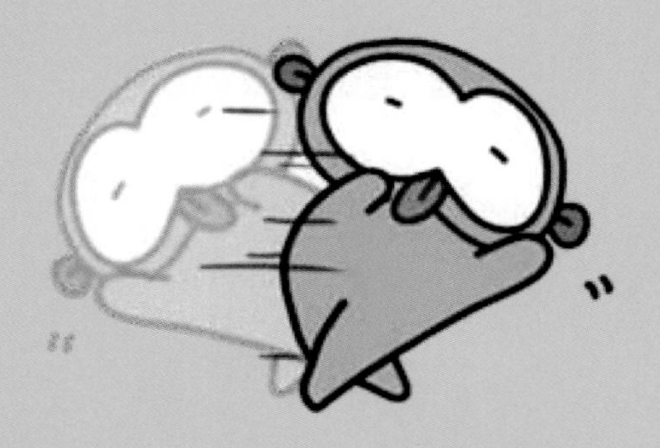

-좋아하는 게임은?-

“한도초과”

질러!

〈한도초과입니다〉

오잉?
이거로 해주세요

〈한도초과입니다〉

오잉?
(도망)

-최근 산 가장 비싼 제품은?-

“달리기”

자,
쉬었으니
이제 달려보자

준비 됐지?

-이 책을 닫고 가장 먼저 할 일은?-

유쾌한 '멍숭이'와 함께 그때 그 시절의 나로 돌아가,
생각을 정리하고 나를 돌아보는 시간이 되기를 바랍니다.